KB196700

킬러가
사랑에 ♥♥♥
빠졌을때

1

글·그림 에레세모

blackD

퍼어!!

이봐요
최무자 씨.

사람이 정직하게
일을 해야지~
물건을 빼돌리면
쓰나~

파~씨

히익!!

어쭈? 이게 피했어 어엉-?!

우웅-웅

응? 숭민이 형님 전화네?

자, 잘못 했습니다.

사, 살려 주세요…!!

예 형님.

저희요? 최무자 찾아서 족치고 있….

우당탕!

뭔 개소리야~

딱!

엥? 아, 아닌데? 걔 지금 저희랑 있습니다!!

뭔데?

야 지저쩌?

지쩌주까?

최무자 나랑 있어~ 지금 약 빼돌린 장소 털고 있는 중이구만~

5

새끼들아~! 일 똑바로 안 해?! 언 놈 끌고 간 거야?!

아이씨… 좆 됐네…

짝,,

똑

야야 소근아 저 자식 풀어줘….

씨발 뭐야!

소근아!!

1, 119! 119 불러!!

미친놈아! 깡패 소굴 이라고 아주 광고를…!!

너, 너!!
뭐 하는
자…!!

킬러에게는

자기(自己)를
감추고
다른 감정을
연기할 수 있는
능력이
요구된다.

우둑

아무리 뛰어난
기술을 가지고
치밀한 계획을
준비해도

덜그럭

뒤척
뒤척

기척이, 살기가
드러나면
암살은 실패한다.

아, 그리고 현장에 흔적을
남기지 않는 꼼꼼함도
겸비해야 한다.

마치 유령처럼….

내 존재도 흔적도
지우는 것….

그것이 킬러….

철컥

성큼

성큼

멈추십쇼.

…
많이 컸다?

형한테
총도 겨눌 줄
알게 되고.

쏠 겁니다.

컷

컷

커엇-!!!

야 임마
강다혁!!
너 장난해?!

누가 조직의
배신자를
그런 식으로
붙잡아?!

지금 너
하나 때문에
몇 번째냐
이게!!

아….

강다혁

대한민국 로맨스란
로맨스는 모두
섭렵한 인기 배우.

그의 눈빛은
여심뿐만 아니라
남심마저 사로잡아.

인(人)심 폭격기라
팬들에게 불린다.

죄송합니다.
감독님.

그, 그윽한
눈으로
사과하지 마
인마!!!

하아..

다혁아….

네가 할 수 있다~
할 수 있다~하니까
배역을 준 건데
더 이상은
못 봐주겠다….

네 얼굴은
느와르 쪽이
아니라니까?
넌 로맨스야
로맨스!

굳이 안 되는
느와르에 와서
애쓸 필요
있어?

우리 서로
스트레스
받지 말고
이쯤 하자~

새로 오디션
뽑을 시간
아직 있으니까
미안해할
필요도 없고
응?

부-웅

다혁아!
괜찮아!!
처음부터 잘하는
사람이 어딨어!

다른 건
지금까지
잘해왔잖아~

하하..

안 되면
….

짜악..

꼬오오

될 때까지
하는 거지….

에이~ 그 감독 원래 싸가지로 유명하잖아!

네가 참아라~ 막말로 진짜 네가 아쉬울 게 뭐가 있어?

아쉬울 거 많아.

아….

어…!

끼익

CS

편의점 이다!

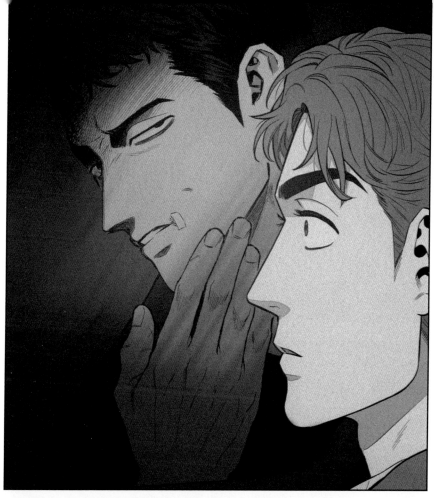

※ 선탠한 차
창문이라
밖에서는 안이
안 보임.

와….

어쩜 저렇게 인상이 더럽게 생겼지!?!?

당신은 살아있는 느와르군요.

연기할 필요도 없이 그냥 숨만 쉬어도

느와르 서사가 완성된 인상이다…!

멋있다…. 흉내 내고 싶다…!

저 안면 근육의 비밀만 풀면 이제 느와르 연기도 문제 없어!!

아무리 숙련된 킬러라도

자기감정을 숨기는 훈련을 게을리해서는 안 된다.

때문에 킬러들은
인간 인내심의 한계를
시험받고.

office

거짓 감정을
꾸며내야만 하는….

서비스직에서
일하며 스스로를
단련한다.

데워드릴까요?

9200원
입니다~

이, 인상이
순식간에 변했다…!
뭐 하는 사람이야?

어쩌면… 나… 숨은 연기의 고수를 만난 걸지도…!

야앙~! 알바양~

!!

내가아~ 돈이 모자란데~ 이거 반만 먹고 갈 테니깡~

반값에 팔아라앙~

죄송합니다 손님… 그건 저희 매장 측에서 도와드릴 수 없어 보입니다.

뭐?! 야! 이 옆에 편의점은 해줬어 인마앙!!

저희 매장은 힘들 것 같습니다. 죄송합니다.

도시락 빼시면 금액이 맞는데 도시락 빼시고 계산 도와드릴까요?

이익….

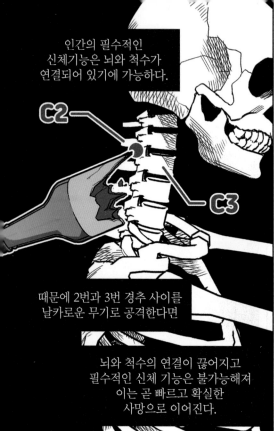

인간의 필수적인
신체기능은 뇌와 척수가
연결되어 있기에 가능하다.

C2

C3

때문에 2번과 3번 경추 사이를
날카로운 무기로 공격한다면

뇌와 척수의 연결이 끊어지고
필수적인 신체 기능은 불가능해져
이는 곧 빠르고 확실한
사망으로 이어진다.

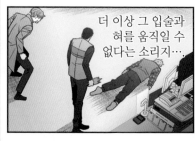

더 이상 그 입술과
혀를 움직일 수
없다는 소리지….

난 이런
진상 놈들을
죽일 수 있는
방법을 수십 개는
더 알고 있다.

하지만….

나는
프로 킬러….

이런 자신의 본심을
숨기고 진상에게
대처하는 것….

바둥

바둥

그것이
이 훈련의
목적이다.

하
하...

손님…
다른 손님도
기다리고
있으시니….

실례
합니다.

괜찮으시다면
제가 저분
몫까지
계산할게요.

어휴~

재수다~

25

고생이 많으시네요.

덕분에 살았습니다 감사해요.

괜찮습니다 좀 더 일찍 나섰어야 했는데….

삐.

삐..

삐..

그나저나….

왠지 낯익은 얼굴인데… 누구지…?

봉투에 넣어드릴까요?

COFFEE

아! 그건….

이런 거에….

대처하는
방법은
모르는데….

뭐지… 이게…

누구냐… 너는…

매일
이 시간에
근무하시는
거세요?

손은 또
왜 이렇게
떨리고…?

ㄷ ㄷ ㄷ ㄷ

아…
그, 그… 워,
월화목만
….

3년 전
한풍구 통로에서
포위 당했을 때도
이 정도로 떨지는
않았는데….

두..근..

거기
있는 거
다 알아
짜식아!!

너 아주
뒤졌다
자식아!!

이 남자는
대체…

위—웅

어~형!
응, 나
편의점!

꾸벅

부스럭

나까지
왜 갔냐고?
아~ 갑자기
살 게 생각나서.

가, 가
감사
합니다~

2+1

어….

0000 0000 0000
BANK CARD
VIBA

싱긋

감사합니다!

향수 냄새⋯.

멍

콩닥 콩닥

알바야
저저저
저거 하나
줘봐.

아 거-
저거 하나
달라니까?!

멍

18세.
고등학교에
잠입했을 때였다.

내 첫 키스는

…조

좋아해!!
박철수!!

….

우, 우리…

키

두근

두근

키스…
할래…?

그러든가.

맴맴

맴—

더웠다.

첫 경험.

추웠다.

34년 평생을…
누군가에게

사랑해요.

※이렇게
말한 적 없음.

설레본 적이
없는데….

이봐요
아저씨.

저기요!!

야!!

깜짝

정신 똑바로
안 차려?!
옷 다
젖었잖아!!
어엉?!?!

죄

죄송합니다.
손님!!

전장 또넉 나간 채로
있었잖아!!

타겟은?!
두리번

두리번

이거 얼룩
어쩔 거야
어?

이게
얼마짜리
옷인 줄
알아?!

어쭈.

또 집중
안 하지?
야, 매니저
불러오….

음… 예,
뭐 얼룩은…
뭐….

요새 드라이
맡기면
다 되니까요.
예….

… 밥 먹을
때는 개도
안 건드린다…

철컥

싸가지 없게
치킨을
젓가락으로
집어먹고
앉아 있어
새끼야~

쪽-

그만.

직원들끼리
싸우지 말라고
했을 텐데.

칫.

그렇다고 널
두둔하는 게
아니다.

아주 가끔
우리조차
실수를 하는 날이
있어.

하지만 완벽을 넘어서 흔적 하나 남기지 않는 네가.

이번 주 목요일 편의점 아르바이트를 다녀온 이후 3일 연속 타깃을 놓쳤다는 건 실수가 아니라는 뜻이다.

무슨 일이 있었구나.

주태만.

말해.

설레엠~?! 설레에엠?!?!

반해애애애애-?!?!

벌떡!

비밀번호 찾기 질문 [가장 좋아하는 만화 캐릭터는] 답변도 [없음]으로 지정해놓은 놈이?!?!

〈비밀번호 찾기 질문〉
Q. 내가 가장 좋아하는 만화 캐릭터는?

A. 없음|

아하하하하!! 천하의 주태만을 홀리다니.

얼굴 한번 보고 싶네! 어떻게 생겼어?

머리카락 색은 연한 갈색에 눈썹은 1.5cm 정도로 두껍고… 머리 가르마는….

야, 야 그렇게 들어서는 짐작이 안 가잖아~

예시를 들어봐야지!
어른유를 닮았다!
전지엽을 닮았다!
이런 식으로!

어- 그래!
저 여배우도
눈썹 두껍네!
저런 인상이야?

벌떠!

저, 저
사람이다!!

어? 진짜
저 여배우랑
닮았어?

낯익은
얼굴이다
했더니….

배우였어….

뻘떡!

으어엉~?!
진짜 배우??
닮은 게 아니라?!
그나저나
남자아-??
남자라고?!

잠깐 잠깐…
정리 좀
해보자….

저 남자가
편의점 진상을
쫓아주고.

너한테
커피까지
건넸다고….

아핫핫핫!!
이거 완전
팬 서비스를
제멋대로
착각한 거잖아!

배우니까
당연히
이미지 관리
차원으로
그랬겠지!!

거기에 또
인생 처음
설레고~ 난리~

깐족

깐족

깐족

싸우지
말라고
말했다.

아무튼…
다행이구나.
상대가 네게
호감을 가진 게
아니라

단순한
친절이라서
말이다.

태만아.

사랑은
킬러에게
부주의함을
가져오고

킬러에게
부주의함은
곧 죽음이다.

나는···
사랑에 빠졌다가
신세를 망친
동종업자들을
수없이 봤다.

마지막은
영화
아니에요?
사장님?

배우라고
하니···
네가 다시
그 남자와
마주칠 일은
아마 없겠지.

더 이상의
만남이 없으면
마음은 자연스럽게
떨어질 거다.

사랑에
빠지지 마라
주태만.

동물들 중 '뛰어난 사냥꾼' 이라고 하면 무엇을 말하겠는가?

대부분의 사람들은 사자, 호랑이, 늑대··· 등을 말할 것이다.

철썩..

쏴아아ㅡ..

하지만 나는

스

을..

스

을..

표범물개라고
말할 것이다!!

「표범물개(Leopard Seal)」
바다의 최상위 포식자 중
하나로 늑대보다 날카로운
이빨을 가졌다.

펭귄과 오징어,
심지어 상어까지
공격하며 표범물개와
대적할 만한 상대는
범고래뿐 일 정도로
교묘하고 은밀하다.

마음먹은 대로
언제든 공격이
가능한…

아-

주변을 돌면서
사냥감을 관찰하고
머리를 굴려서….

우물

우물

예측 불가능의
공격성을 지닌 사냥꾼….

월요일이었다.

안녕
하세요오~

저 기억
하세요?
저번 주에
커피….

아…
네네! 기억하죠!
진상 쫓아주신….

삑-

강다혁…
배우님….

앗-
알고
계셨어요?

삐

삐

왜….

저번에는
긴가~민가~
해서~!
하하하!

왜 또 왔지?!

두군

두군…

아냐… 과민반응
하지 말자….

여기 카드
받아가세요.

감사
합니다~

군천에 새로
이사를 왔거나
촬영장이 여기
주변일 수도
있는 거잖아.

나는 프로 킬러
14년차….

부스럭

아.

설계 동요하지
않는다…. 애초에
여기 근무는
그러기 위한
훈련….

비타
300

월요일에는
이름 묻고~
답하고~

화요일에는
일 몇 시에
마치냐고
물어보고~
알려주고~

목요일에는
뭘 했으려나~?

꺄~♡

지금 네 도발에
어울려 줄
기분 아니야,
김설호

꺼져.

에라이
싸가지
없는 놈.

61

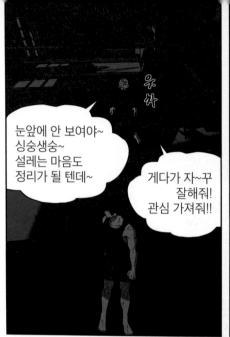

에이~
동료 사이에
싸우지
말라 시잖아
사장님이~

정 떨어
트리는 거.

도와준다.

뭐?

63

챕터2

킬러가 사랑에
빠졌을 리가 없어!

아냐
아냐.

이게
아니라···.

이런···.

···.

대체 어떻게 하면 그런 표정이 나오는 거지?

젠장~ 알고 싶다!

…좀 더 자주 보면 감이 올 것 같은데….

태만 씨는….

편의점에서는 항상 웃고 계시니까….

CS

그렇지만 이래서는 [은근슬쩍 주변에 스며들어서 태만 씨의 다양한 안면 근육 보기] 계획이 먹히지 않잖아!!

그렇다고 대놓고 "귀하의 사연 있어 보이는 얼굴이 연기 연구에 도움이 될 듯하오니 여러 가지 표정을 요청드려도 되겠습니까?" -하고 말하는 미친놈이 될 수도 없고….

게다가 계속해서 편의점을 갈 수도 없으니….

슬슬 알아보는 사람이 나타나기 시작했어….

흠‥

좋은 방법 없을까….

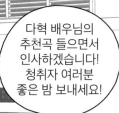

오늘 게스트로 나와주신 강다혁 배우님~

다혁 배우님의 추천곡 들으면서 인사하겠습니다! 청취자 여러분 좋은 밤 보내세요!

짝
짝
짝

리마스터링 재개봉

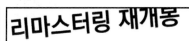

입력2021.09.01. 오후 4:01

● 지라시 기자 〉

●●812

다음 주 월요일 개봉인데 스케줄 끝내고 심야로 볼래?

갓엉클 4K리마스터링 재개봉하네?

오오~

자~꾸 딴생각 하는 것 같고~

관심 있는 사람이라도 생겼냐 강다혁~

두둑

툭

….

-는 농~담~

어유~
없지 없지~
관심 있는 사람
있을 리가
없지~

우리 다혁이~
그럼 무슨
고민이라도
있는 걸까~

관심 있는
사람….

생겼지….

헐?

헐~?!

소근

야~! 강다혁!!
안 그래도 요새
연예부 기자들
너 잡아먹으려고
난리다 아주!

그런데 지금
연애할 생각인 거
아니지?!
그치?!!

소근

농담이지?

진짜
생겼는데.

아하하하!

걱정 마
걱정 마, 형~
선산에서 등산이래
진짜 웃기다~

형이 생각하는
그런 류의
관심이….

터벅
터벅

등산?!

사람은 육체적으로
힘들어지면
속내나 진심이
겉으로 드러날 확률이
높아진다!

하하
하..

편하게 앉아서
얘기를 나누는 것보다
훨씬 거짓을 꾸며내기
힘들어지지.

좀 더 가까이에서
태만 씨의 진짜 모습을
관찰할 수 있을 거야!

으유..

게다가
산이라면….

느와르 분위기

최강이다!!

푸벅

푸벅

등산이라~ 괜찮은걸… 나 형네 선산 주소 좀 주라.

제발… 파파라치에 찍히지만 말아라….

어…? 다혁아.

엇! 선배님!

안녕하십니까!

꾸벅

어어~ 그래… 잘 지냈어?

어우~ 선배님 자주 뵙다가 못 뵈니까.

일주일 안 뵙는데도 무~지 그리워 지더라구요~

하하하….

어….

스쳐 지나가듯 전에 말한 건데… 그걸 기억하고 있었어?

기억이 나더라구요.

슥..

톡

선배님이 얘기해 주신 건.

발그레..

두 근..

선배님 말고… 편하게 형이라고 불러….

다음에 밥 한 끼 먹자~

네, 형~ 들어가세요~

꾸벅

꾸벅

매번 느끼지만 진짜 대단하다…. 강다혁….

흐흐.

저 선배님이랑 친해져서 나쁠 거 없잖아.

느와르 장르 출연도 자주 하시고 기회가 맞닿아올지도 모르니까.

터벅

터벅

그나저나 관심 있는 사람이 생겨도 아무한테나 그런 눈빛 보낼 수 있구나.

놀랍다, 진짜.

형이 생각하는 그런 종류의 관심 아니라니까?

터벅

터벅

x

80

설마
얻어낼 게 있어서
생기는 관심이었어?!

만지작

목적이
있으면.

이용할 수
있는 건
전부
써야지.

가끔 저럴 때마다
무섭다니까….

오쏘쏘…

어이
김설호…
내가 분명히.

강다혁에
대한 마음을
정리시켜준다고
들었던 것
같은데….

「파블로프의 개」
실험을 들어보았는가?

개에게 먹이를
줄 때마다 종소리를
들려줬더니.

딸랑
딸랑

헥 헥

그 뒤로는 종소리를
들을 때마다
개가 먹이를 주는 줄
알고 침을 흘리더라는
내용의 실험이다.

….

어쩌라고.

덜
컹

투
둑

아-진짜!
밧줄 좀
끊지 마라!

싸
아
아.

칭

칭

힘은 또
더럽게
좋아가지고….

내가 마음을
정리시켜
달라고 했지….

네 변태 플레이에
참여하고 싶다고는
안 했는데….

돌았나
미친놈이
….

싸
아
아

네 몸뚱아리
누가
보고 싶어서
벗겨 놓은 줄
알아?

그럼 왜
이딴 꼴로
묶었는지
설명하지 그래
다 뜯어버리기
전에.

절그럭

이후로는
강다혁을 보거나
심지어 목소리만
들어도 생리적
거부감이 생겨서
그를 거북하게
여기게 되는 거지!

욱욱..

뭐야
그 반응은!
박수는
못 칠
망정!

이거….

영화에서
본 거 같은데….

효….

효과 없으면 뒤진다 진짜….

뭐, 내 도움으로 마음 정리한 킬러들 평점이라도 받아다 드려?

후기 ★★★★★

후기 ★★★★★

후기 ★★★★★

야- 아무리 나라도 이런 걸로는 장난 안 쳐, 인마.

며… 몇 명이나 해줘봤는데.

20명 정도?

전원 다 효과 본 거, 냐?

한 명 빼고는 다?

그 정도면
꽤 효과
있는 거지~

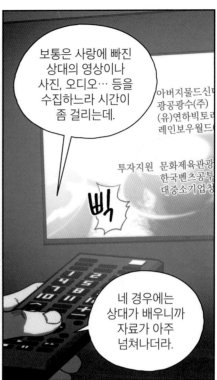

보통은 사랑에 빠진
상대의 영상이나
사진, 오디오… 등을
수집하느라 시간이
좀 걸리는데.

아버지몰드신미
광공광수(주)
(유)연하빅토리
레인보우월드

투자지원 문화제육관광
한국벤츠공투
대중소기업청

빡

네 경우에는
상대가 배우니까
자료가 아주
넘쳐나더라.

효정아!

덜 덜

발그러!

너 그 표정 역겹다….

…그걸 해결하려고 이 난리 치잖아….

시야가….

숨이 울렁거려….

아프냐?
아프면
그만해?

자기(自己)를
지우는 것, 그것이 킬러.

사적인 감정에 휘말려
이 이상 일상을
위협할 수는 없다.

비켜.

화면
가린다.

저 얼굴을 보고
더 이상.

슈욱

새~끼~
근성 있어?

설레지
않겠어!!

빠

악!!

철룡 장례식장

크흐어~

아~
잘 먹었다~

육개장은 역시
장례식장이
존~나게
맛있어~
안 그래?

예! 맞습니다
승민이 형님!!

그나저나….

쭙

어떤 새끼가
알짱거렸는지는
알아봤고?

씨빨럼이 아주 상도덕이 없어- 씨… 감히 내 영업장에서 지랄을 해?

잡히면 아주 조져버릴 라니까.

저 그게… 형님.

누군지 알 수가 없습니다.

그, 그게 어떠한 흔적도 없습니다! 경찰 쪽에서도 알아낸 것이 없지 말입니다!!

3명이나 살해당한 살인 현장인데 너-무 깨끗해서.

감식반도 기분 나빴다고 하던대요!

끔적

야 담배.

즈

예, 예 형님!

후다닥

저…
형님!

뭐!!

…까나리파에서
이런 비슷한 일이
있었다고
들었습니다.

뭐?

기분 나쁠 정도로
아-무 흔적도 없고.

깔끔했던
살인 현장이었다고요.

이유는 알 수
없지만 혹시…

같은 녀석이
아닐까요.

가자.
저놈들 죽기 전
동선
알아보고.

주변 가게
CCTV부터
뜯어내.

안 나오긴
뭐가 안 나와.

거 깡패 새끼
죽었다고
수사나 제대로
했겠냐?

그 깔끔한
놈.

내가 너
사랑하면
안 돼?

…

쉬이

태만이는
따라나와.

설호, 넌
마늘 마저
까고.

네
사장님!

여기를
봐라.

두근
거리나?

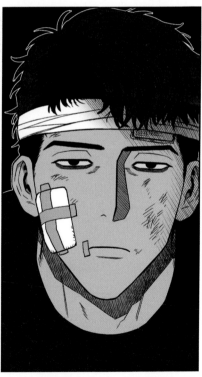

시큰둥一

톡 톡

흠

놔!
이 새끼야!!

딱

거지 같은 표정
안 짓게 된 거
만으로도
고마워해야
할 판에!

효과
있다며
개자식아.

네가 독해서
마음 정리
못 하는 게
왜 내 탓인데?

톡

톡

더 이상
네 같잖은 이론은
안 듣는다.
김설호.

다음 주
강다혁 스케줄
알아내서
나한테
알려주기나 해.

왜.
뒤라도
캐실려고?

…내가 타깃을
처리할 때
거리낌 없이
수행할 수 있는 건

그들의
더러운 면모를
발견하면 마음이
정리되기 때문이다.

여러 종류의 타깃을 만나왔지만 뒤가 더럽지 않은 인물은 단 한 명도 없었어.

타깃도 아닌 사람을 뒷조사 하는 건 내키지 않아서 이 방법은 쓰고 싶지 않았지만…

내가 직접 찾는다.

강다혁의 구역질 날 만한 면모를.

다음 날, 월요일 강다혁의 오후 4시 일정:

○◇△잡지 화보 촬영 및 인터뷰.

야 너 조명 세팅하고 확인 좀 해라.

넵!

겉으로는 친절해 보이는 연예인이 사실 주변 스텝들을 막 대한다는 이야기는

꽤 흔히 있는 경우다.

과연 너는 예외일까? 강다혁…!

자- 그럼 촬영 들어가겠습니다!

팟

랑

110

잘 부탁
드립니다~

오┄┄┄┄.

와┄!!

┄┄꽤┄나 자극적이지만.

노출이라면
이미 영상으로
질리도록 봤다.

저 정도의
가슴 노출 정도야
아무렇지도┄.

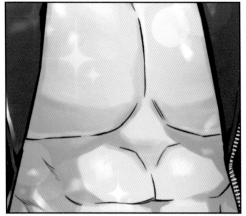

주태만은 왜
사람들이
일반 상영보다

3D 상영을
선호하는지
이해하게
되었다.

진짜, 정신 차려!
지금 가슴 보고
촬영장까지
쫓아온 게
아니잖아!

도리

도리

아 진짜~
다혁 오빠
때문에
못 살겠어요~

역시···!
스텝들에게
안 좋은
평판이 있나?

짱짱

너도 당했어?
진짜 질리지도
않나 봐~

아까 내가 바나나를
먹고 있었는데
다가와서는···.

바나나를 먹으면~
나한테 바나나~

아 오빠~ 아재 개그 좀 치지 마요~

앗! 그럼 나는 참치 마요~

개그에 소름이 돋아서… 어우~

내가 보기에 그 오빠는 우리 반응을 즐기는 게 분명해.

뭐지 이 감정…? 심장이 쪼여오는 감각은…?

강렬하게 무언가를 치고 싶다…!

이게 바로 「귀여워 죽겠다」 라는 건가…?

…진정해 주태만…

사람이 어디 한 곳은 분명히 맘에 들지 않는 구석이 있을 터….

좀 더 찾아보자….

얼른 끝내고 다들 퇴근합시다! 마지막 컷 갈게요~!

야, 마지막 컷에서 옷 젖으니까 탈의실에 갈아입을 옷이랑 수건 좀 세팅해봐.

넵!

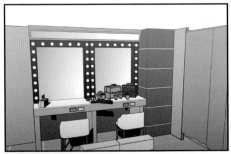

파

앙!

사람인가?

커리어적으로는 주변 사람들에게
신뢰와 인정을 받고

인성적으로도 성격이 모나지 않아
주변을 편하게 만들어줘서
사람이 모여드는 타입…!

터벅

터벅 터벅

촬영도 끝났으니까 저녁은 맛있는 거 먹을까 다혁아? 뭐 먹을래?

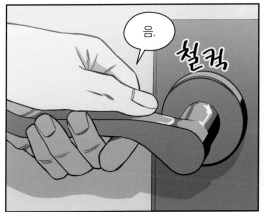

음.

철컥

끼이이익

옷 갈아 입으면서 생각해볼게.

조-용...

이제 밤 되면
슬슬 춥던데
국물 있는 것도
나쁘지 않고~

털썩

오-
좋다, 좋다.

아, 맞다!
오늘 퇴근 전에
우리 집 들렀다 가~

엄마가 너 주라고
고기 장조림 주셨어.

헐, 진짜?

두

근...

어머님한테
완전 감사하다고
전해주라!

역시….

매니저랑 유난히
가까운 사이였군.

천사 같은 얼굴 뒤에 숨겨진
악마 같은 본성을 드러내라
강다혁…!!

각별한 사이, 둘만의
사적인 공간이라면…

이번이야말로
강다혁의 진실된 면을
볼 수 있을지도 모른다.

...악마도
비주얼이···.

곰
곰..

나쁘지
않은걸···.

그럼 주변에
검색 좀 해봐.

!

촤
아

악

투
ㄹ
···

스
윽..

쿵

음.

형~
국물 요리는
안 되겠다~

역시 나
살찐 거 같아.

스
윽..

탈의…!

두..근..

탈의실에 숨으면서
대강 예상은 한 일이다….
마음의 준비도 되어 있고
상체 탈의에는 어느 정도
면역도 생겼으니….

두..근..

프로 킬러에게
이 정도 기척을
숨기는 정도야
기초 중의 기초!

지익

요 몇 주
새벽마다
뭘 먹었더니…

스륵

툭.

두근

매번 편의점
가서 음식도
사 먹은 거야?

두근

두근

두근

두근

편의점에
1시간은
죽치고 있는데

아무것도
안 사고 있기에는
너무 수상해
보이지 않아?

그건
그렇네….

실수했다….

바지까지
벗을 줄이야….

두근
두근
두근
두근
두근
두근
두근

진정하자…
바지라는 단어를
연상시키지 마라.

COLLAGE

그동안 봐온 데이터에
기반한 디테일이
상상되어버리니까!!

하지만…
이대로라면

상대가 일반인
일지라도 기적을
틀켜버릴지도 몰라.

두근
두근
두근
두근
두근

꾸욱

아직 눈치
못 챘을 때

Hrrrk

뒤에서 다가가
기절시킨 후

탈의실에 다가온
매니저 역시
처리한 뒤 빠져나가자.

WHACK

다혁아?

그 정도로
오래 편의점에
안 있으면 사 먹을
필요도 없잖아.

뭐-
그렇지?

그런데

그렇게까지
해서라도

(표정이)
보고 싶어.

(표정이)
보고 싶은 사람이
거기에 있어.

오늘 밤에도
가야 하니까 저녁이라도
간단하게 먹으려고.

촤 악-

내 외투는
밖에 있어?

응!
여기.

가자

가자~

께이익、

저기요.

웁찔

저 많이
좋아해주셔서
이런 행동도 하시는 거
압니다.

그런데 그쪽 같은
사생팬이 이런 식으로
좋아해주시는 건

하나도
안 감사해요.

숨어서
남 보고, 엿듣고
그러지 마세요.

쾅!

다음에는
신고합니다.

터벅

터벅

어디 전화했어?
말소리 들리던데.

아냐 아냐
가자~

들켰다…
일반인한테….

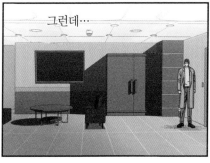

그런데…

그게 진부는
아냐….

슥…

싸
아
아

사생팬에 평소에도
많이 시달리는 건가?

18180원
입니다.

띡.

CS

익숙해
보였는데···.

태만 씨!
왜 이렇게
젖었어요!

뚝··
뚝··

고오오오··

덜

덜

무, 뭔지 몰라도
내가 미안해
청년!!!

쌔앵

진정하자…
진정해 주대만.

킬러는 자기(自己)를
감추고 다른 감정을
연기할 수 있어야 한다…
킬러는 자기(自己)를
감추고….

사으—

하
아

…안 되겠다
'그걸' 해야겠어.

스
우

웅

흑

반짝

반짝

흠
족

음…!!

133

팔랑

...쯧. 청소 막 시작했는데...

깍

뾱

어서 오십시오~

탈.

아~ 씨….

탈

탈

탈

표정만 조절 가능하게 된 태만이

챕터3

킬러는 마음이
복잡하다

7시간 전

아이고! 아고!!

아고고 귀엽다 귀여워!!

야 역시 스티커는 스파클링 코팅이 존~나게 귀여워~ 안 그르냐?

예! 맞습니다 형님!!

구로미 스티커 존나 귀여운데 너도 폰에 붙일래?

푸흡…!!

야.

웃기냐?

아, 아뇨…
저, 저는 그냥
기침이 나서….

왜~ 얼굴에
칼 맞은 새끼가

하트 뿅뿅
반짝이 뿅뿅 스티커
주워 담고 있으니까
빠갰잖아~

그게 아니면
씨발.

지금 나를
웃음소리랑 기침 소리도
구분 못 하는 등신으로
봤다는 소린데?

그 세 명
통화, 위치 기록
다 챙겼다고
마음이한테서
연락왔습니다.

그래?

그럼 가보자~
CCTV
뜯어내러.

그러게요,
새벽까지
내린다는 것
같더라구요.

필요한 거
있으세요?

쓰ㅡ읍

내가~

뺑뺑 돌려
말하는 걸
싫어하거든~

단도직입적으로
용건만 말하자면~

11일 전, 10월 21일
CCTV 녹화 데이터.
아직 있지?

10월 21일…

CCTV는 왜…
혹시 경찰
이세요…?

주섬

내가~ 그런 말을
하~도 많이 들어서
이제 다~ 준비하고
다닙니다~

사람이 죽었는데 제대로 조사가 안 이루어졌다나~

사적으로 의뢰 받았수다~

그~러니까 좋게 빨리 협조 좀 해주쇼.

범인 잡아야지~

네에….

그런데 제가
알바라서요…
막 보여드릴 수는
없고… 점장님께
여쭤보겠습니다.

그걸
알바 재량권으로
어떻게 안 되나?

지금
시간이 몇 시야~
점장님 주무시겠는데
깨우면 안 되쥐~

우당탕

아, 점장님이
원래 새벽 늦게
주무셔서요.

괜찮습니…

어이쿠~ 실수~
이거 어쩌나~

괜찮습니다
제가 치울게요.

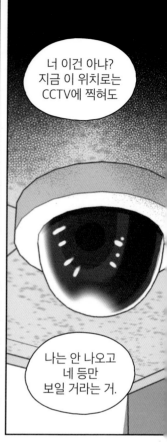

나는 오래전부터 감정을 컨트롤할 수 있도록 훈련을 받았으며

사랑에 빠지지 마라 주태만.

그 어떤 상황에서도 평정심을 잃지 않을 수 있었다.

비켜.

나 여기 있으면

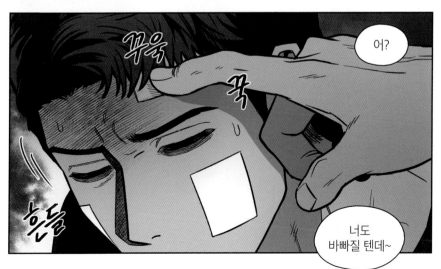

어?

너도 바빠질 텐데~

그러니
이런 도발 따위에

숨어서
남 보고, 엿듣고
그러지 마세요.

동요할
내가 아니다.

알았으면
CCTV
들고 와~

흔들

씨익

나는 프로 킬러다.

니가 치워
새끼야….

허.

허허.

야, 야 너
따라나와.

뭐?
니가 치워?

찰박

이 새끼가….

이게 진짜
뒤질라고!!

쉐우욱-

지금
뭐 하시는
겁니까?

허.

넌
또 뭐야?

그냥 입 다물고
고개 숙이고 있으면
지나갔을 일이다.

내가 뭐
씨발 평범하게
옷을 입고
다니냐?

수십 번 수백 번
해온 일일 텐데
그 순간을 못 참고

뭐 하고
밥 벌어먹고
사는지
감이 안 와?

강다혁을 일에
끌어들이다니

죄송합니다.

제가

제가 사과
드리겠습니다.

스윽

자,

스륵

쳐보세요.

아!!
어쩐지 낯이
익더니…!

이 새끼… 너…!
배우 맞지!!

…허!

지금 뭐 씨발 내가 연예인이라고 쫄 거 같아?!

그딴 게 어딨어!!

!!

부웅

새끼가….

♬너만 보면 내 심장이 몰랑몰랑♬ ♬또 기분 좋은 소리가 딸랑딸랑♬

강다혁!!

저기….

추우실 텐데
이거라도….

모락
모락

율무
호록

달달

아~ 태만 씨
센스 짱!
감사합니다!

태만 씨도 잠시 쉬세요! 한바탕 난리에 손님도 없는데.

아… 저는 근무시간 이라서….

탁 탁

아련…

탁 탁 닥 닥 탁

그럼 10분만….

톡

토독

후두둑

저어….

오늘 일은
죄송했습니다….

스튜디오에서
기분 상하게
한 것도요….

자요!
태만 씨도
좀 드세요!

척!

비는 같이
맞았는데
왜 저만 주세요?

율무
호르

그리고 너무 신경 쓰지 마세요.

혹시 모르잖아요! 제가 차기작으로 깡패 역할을 맡아서 이 경험이 귀중한 참고 자료가 될지!

아까 막 이렇게 움직이던데?

이렇게? 닮았어요?

야옹?

이렇게

이렇게 고개를 막-

피식

싱긋

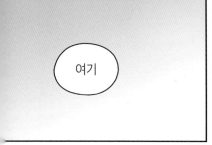

태만 씨?

역시 근무 중에
너무 오래
쉬고 있는 것
같아요.

청소라도
해야겠습니다.

이상하다…
저번 주까지만 해도
거의 다 넘어온
표정이었는데…

갑자기 반응이….

계산하실 물건
있으시면 바로
불러주세요!

아, 네!!

좀 더
강수를
떠야겠어.

흠.

!

쿵

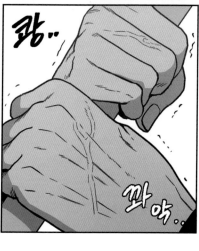

쾅

짜 악..

쿵쾅 쿵쾅

쿵쾅 쿵쾅

쿵쾅 쿵쾅

진정해
진정해
고작 손가락이
입술에 닿았을
뿐이잖아.

아까 그 소란을
겪고도 가슴이
뛰고 싶냐 주태만?!

꾸와악~

슥··

고작 입술에
손가락이
닿았을 뿐인데···.

태만 씨···.

문질

다, 다혁 씨···
지금 편의점인데
이런···.

태만 씨!
저 계산 좀
부탁드릴게요!

바들

바들

삑

그냥…
본 것뿐이다
틀림없이
별 의미 없는
행동이었을….

아까 소란도 있었고
다쳤는지 안 다쳤는지
궁금했었겠지.

팔랑

실은…
절 알아보는
사람들이 몇 분
생기셨거든요.

목격담이
편의점 지점명이랑
같이 퍼지고
있나 봐요.

태만 씨 근무하시는데
계속 찾아오는 것도
불편하실 것 같고

태만 씨도 근무처나
시간대를 바꿔야…
안전하겠죠?

그 분홍
깡패분이
또 올지도
모르잖아요.

제가 매번
함께 있을 수는
없으니까….

오늘 일도
있었고….

아….

그런데…

저는 태만 씨랑
좀 더 대화
하고 싶거든요.

그러니까…
만약 태만 씨도
저랑 또 얘기
하고 싶으시면….

연락주세요.

101 -
3421
8679

어서
오십시오~

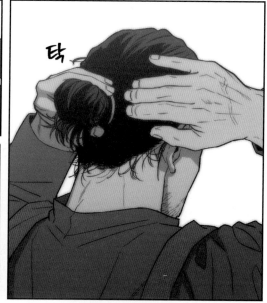

설호야
기본 안주
좀 내라.

여기요
사장님~

빤..

설호야…

네?

또 손가락을
썰었구나…

아

하하….

반창고
들고 와.

하아~
제가 실수를
잘 안 하는
사람인데-

절-대
한눈판 게
아니거든요!

그렇다고
칼을 못 다루는 건
더더욱 아니구요!!

아시죠?!
제 실력!!

그러니까 이건-

톡 톡

태만이한테 연락은 없고?

…주태만 그 자식은 어련히 알아서 하겠죠~

챗

지익

…그래.

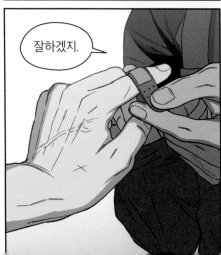

잘하겠지.

저…
사장님!

제가- 현장에서
뛰는 건
어떨까요?

사장님도
아시다시피
제가 주태만한테
뒤지는 실력도
아니고.

그 자식 마음
정리할 때까지는
제가 움직이는 게
….

현장에서는
순간이 목숨을
좌우한다.

하하..

아직은 때가
아닌 것 같구나
설호야.

정보와 서포트도
현장 못지않게
중요하고
반드시 필요하다.

넌 잘하고
있어.

둘 다
지금처럼만
하면 돼.

삥동

94 지킨호프

탁
탁

94 지킨호프

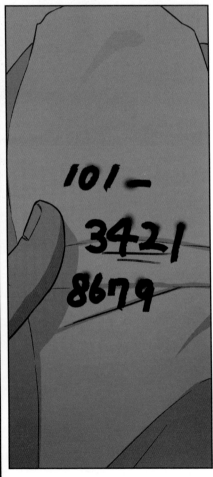

뒤척..

뒤척..

스륵..

진짜 상황이었다.

뒤척

진짜 깡패를
만났고

마치 영화 속의 일 같았다.

그리고…

역시 내 감은 틀리지 않았어! 태만씨는 타고난 느와르 페이스야!!

잠깐이었지만 얼마나 참고가 되었는지…!!

위험했지만 그럴 만한 가치가 있는 경험이었다….

그 긴장감 속에서의

움직임 하나하나…

※이렇게까지 움직인 적 없음

억양 한 마디 한 마디….

※이렇게까지 말한 적도 없음

그런데….

도대체 뭐 하는
사람이길래
그런 아우라가….

에이 뭐
그런 게
중요한가

혹여나
깡패였다고
해도

어차피
안면 근육만
터득하면
안 만날 건데.

…그렇게
깡패 같지도
않지만.

거기가아…
분명히 한치파
놈들이 운영하고
있는 곳일 텐데

편의점에
찾아왔다고….

문어 심부름
센터어?

무엇이든! 다! 신속하고! 정확하게!
문어 심부름센터
☎ 101-8282-5222
각종 심부름, 서류.예물.선물 배송
채무 변제 범위, 외도 여부 수사
의 긴급 서비스 제공
기타 업무 ☞ 심부 대리 관리
24시 항시

들킨 거 아냐?
주태만~?

푸행♡

아니거든.

어떻게
확신해?

…차라리 안 만났으면 좋았을 텐데.

그냥… 예전으로 돌아가고 싶어.

일하는 것에만 집중할 수 있던 때로.

….

그럼 그냥 연락 안 하면 되잖아~

뭐가 문제야?
너한테 따로
연락할 수단도
없고.

그게 그렇게
간단하면 진작에
찢어버렸어.

나는…
그러니까….

사랑을 하고
싶다는 게
아니야….

킬러가
사랑이라니….

이 씨뻐얼…!!
사랑할 수도 있지!!
왜 단정지어어!!

왜 지가
난리야!!
취했냐!?

그냥…!

둑…

대화만 나눠도
이렇게 즐거운 건
처음이라서….

마음이
복잡해….

안 되는 걸
아는데
거절을
못 하겠어.

101-
3421
8679

그럼
거절당하면
마음 정리할 수
있겠냐?

네가 거절을
못 하겠으며언~

거절당하면
마음 정리할 수
있겠냐고.

네 얘기를
들어보면
이유는
모르겠지만

너한테 마음이
있다 못해
아주 그냥….

hey...

대놓고
작업 중
이거든?!

그,
그래 …?!

하지만… 강다혁이
모르는 사실이
하나 있어….

투-웅

그가 여태 봐온 건
'훈련 중'의 주태만이지
'진짜' 주태만이
아니라는 거다!!

201

못되 처먹은 눈매!

욱하는 다혈질에!

치킨을 젓가락으로 집어먹는 싸가지까지!

부르르

직업은 또 떳떳하냐?

어휴~ 절대 아니지~

···빡치지만··· 틀린 말은 아니야···.

씨

있는 그대로의 모습···.

최악의
썸남으로서
강다혁과 부딪혀
보는 거야!!

그 뜻은….

두근..

끄

삐딱

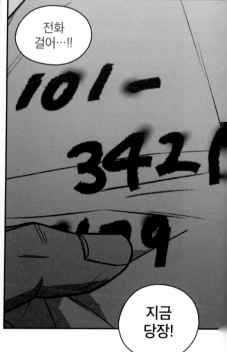

전화
걸어…!!

101 -
3421

지금
당장!

으음…
누구세요오….

건방지게
말해
건방지게!

...

사람이 누군지
묻기 전에 먼저
이름을 말하는 게
예의 아닙니까?

....

예?

그쪽이
연락
달라며요.

…태만 씨?

으음-

어제 잘 들어갔어요?

뒤척

대지 지금 몇 신데 전화를...

정확히 따지자면 '오늘' 새벽에 퇴근했습니다.

5시 37분?!?!

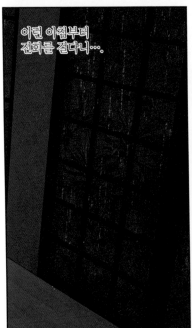

이런 아침부터 전화를 걸다니....

많이 피곤하시겠다, 지금 누웠어요?

내가 많이 보고 싶은가 봐... ㅎ

배시시‥

아뇨. 아직‥‥.

큼… 좀 더
대화하고 싶다고
하셨는데

언제, 어디서
할 생각
이십니까?

시간으은…
이번주 금요일
괜찮으세요?
평일이 힘드시면
토요일도….

상관없습니다
금요일.

그럼
장소는-

역시 처음부터
산에서 만나자고 하면
부자연스럽겠지…

FOR
누마르

지인이 하는
카페로 갈까….

…잠깐!

장소는 제가
정하겠습니다….

장소는….

톡톡
톡톡

210

대박.

야… 김설호
난 자러 간다….

티벅
티벅

그래라~
난 이거 마저
먹고 갈란다.

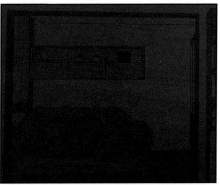

벌떡

야
김설호.

왜
주태만.

…생각해보니까
내가… 강다혁이랑
같이 있으면 좀…

그… 표정이나
행동이….

말랑해
진다고?

쓰흐읍-
이렇게 하자.

탁

만약 그런
기분이 들면….

벌거벗은 내가
소파에 누워 있고

그걸 사장님이
그리신다고
생각해봐.

싸늘…

지금 표정
따악- 좋다.

6시간 전.

하아~
씨빨….

가오
상하게….

…배우 자식이
잡아서 생긴 게 아냐.

그 편돌이 새끼….

그 새긴 도대체 뭐야?
악이나 강으로 나올 수 있는
눈깔이 아니었는데….

얼 얼..

터벅
터벅

드륵륵~

아이고~
오랜만입니다.

규 부장~

아, 이제 이사님인가~

그렇게 됐습니다~ 원 사장~

비도 오는데 오시느라 수고하셨는데 자, 한 잔 받으시고-.

한 잔은 무슨~ 우리가 형님 아우 하는 사이도 아닌데~

됐고,

뭐-가 그렇게 중요한 얘기길래 한참 일하는 사람을 오라 가라 하실까?

내가 그쪽 땜에
가오가 좀 빠져서
짜증이 나거든?

빨리 할 말 하고
집 가서 발 씻고
잠이나 잡시다.

피식

얼마 전에
나와바리 조진
새끼 찾는다고
쏘다닌다면서?

그거 하지
마시라고.

이런 씨…
뭔데 이래라
저래라야?!

에헤이-
한국말은
끝까지 들어!

위에서 도는
소문이 있거든?

조직의 힘이
일정 이상 커지면

그 조직을
조져버리는
의문의 세력이 있다-
고 하더라고.

근데 또
씨빨 이 새끼들이
인도적이야.

경고를
두 번 준대.

1차 경고.
말단을 조진다.

2차 경고.
더 윗놈을
조진다.

허.

뭐 지들이 의적이야?
홍길동이야 임꺽정이야?
넌 그딴 걸 믿냐?

내가
말할 수 있는
팩트는

까나리파는 1차 경고를
받았다고 생각했고
요새 좀 적당히 하고
있다는 거지.

그래도 내가 어?
미운 정도 정이라고
알려주는 거야~
괜히 들쑤시지
말라고!

정은 무슨
지한테
불똥 튈까 봐
쫀 거지.

뭐 그딴
말도 안 되는
소문을 믿고
지랄은….

…까나리파에서
이런 비슷한 일이
있었다고
들었습니다.

이유는
알 수 없지만
혹시…

같은 녀석이
아닐까요.

예절아,
마음아.

예 형님.

좀 털어야 할
사람이 생겼다.

늑대 VS 빨간망토 말고
늑대 × 빨간망토 주세요

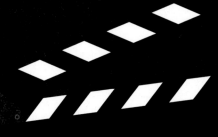

챕터4

첫 데이트(?) MAX!! ①

평소 산에 간다고 하면···
극한 상황에서의
훈련이였기 때문에

최소한의 도구만
챙겨서 갔지만···.

어…?

방금
그 움직임…
뭐예요…?

도대체…
뭐 하는
사람이에요
당신…?

…

일반인처럼
보여야겠지….

어~ 형
나 거의
도착했어.

그래 그래,
내려간 김에
할머니가 꼭
들러서 감자 좀
가져가래~

이렇게 또
챙겨주시네~
감사해서 어째~

아 그리고
윤 감독님한테
연락이 왔는데

새 작품
남자 주인공이 너랑
어울릴 것 같다고
시나리오 보내주셨어.

내가 맞춰볼게.
장르 로맨스 코미디?

아냐~

아냐?

멜로야~

형, 내가 로맨스도
멜로도 싫어하는 게
아니라는 거 형도 알지.

나랑 잘 어울리고
또 좋은 배역이라면
언제든지 하고 싶은데.

나, 더
잘하고 싶어.

나 가능성
많은 노력파야~
내 변신은
무죄라니까?

하하..

근데… 글쎄~ 나는 그게 나쁜 건가 싶다.

그 분야의 정점을 찍고 있다는 뜻이잖아!

기사들 때문에 신경 쓰이는 거면-

음- 아니라고는 말 못 하겠는데

내 욕심이 더 커졌어.

덜컹

그리고 형 이번에는 달라.

제대로 보고 배울 사람이 생겼거든.

그러니까 걱정 마!

정확히 그게 걱정이라는 거야 다혁아~

나 도착했거든? 가기 전에 형네 할머니 뵙고 또 연락할게.

저녁쯤에는 다시 서울로 출발할 거야. 응~ 어~ 알았어~ 조심할게~

다혁이

후….

가끔 물가에 내동은 애 같다니까….

와~ 금이랑 은이다~

다혁아 안 돼!!

하아..

짹 짹 짹..

10시까지 태만 씨랑 만나기로 했는데…

09:55

태

네

안녕히 주무세요~ 😔

11월 05일 (금) 09:55

태만씨! 저 마을 회관 앞에 도착했어요! 어디까지 오셨어요? ⬆

우왓…!
어, 언제
오셨어요?!

…데이트라고
직접적으로
말한 적은 없지만…

문화적 맥락으로
이건 완전히
데이트일 터…!

상대에게
잘 보이려는
욕구가
전혀 없는

POWER
기능성 패션
이잖아?!

태만 씨의
느와르 분위기를
끌어내기 위해
온 산인데…

이건….

정상 가서
막걸리 한 잔
해야 할 것 같은
분위기라고…!!

나한테…
넘어온 게
아니었나…?

안 넘어올 리가
없는데?!

아냐… 진정하고
표정 관리하자…!

가방 주세요!
산 앞까지는
제 차로 같이
이동해요.

예.

오늘 날씨
좋네요~

부르릉

강다혁···
동요하고 있군···.

힐끗

잘만 하면 이번 등산으로
완전히 나에 대한 관심을
거둘지도 모르겠어.

오시느라
힘드셨죠~
사람이
많은 곳은

여유롭게
쉬기 힘들 것
같아서-

이해
합니다.

그럼 다시···
일상으로 돌아갈 수
있을 거야.

그걸로
된 거겠지···.

허~참!

네~미랄.

부웅-

얼찐하면 멧돼지 아새끼들이 이러이 날리를 치니.

좀 털어야 할
사람이 생겼다.

지금 문자로 보낸
주소 편의점에 일하는
편돌인데

영 신경 쓰여서
알아봐야겠어.

떼롱

떼롱

예절아
네가 근처에서
감시하다가 나타나면
좀 쫓아봐라.

예, 형님!

그리고…
그… 뭐냐

[사랑의 유통기한은
십만 년]에 나온
남주 배우 이름…!

사랑의
유통기한은
10만년!

강다혁이요?

그래!
그 새끼!

걔는 마음이
네가 좀 쫓아봐.

갑자기
배우는 왜….

편돌이 자식의
그 눈빛….

단순히
아는 사이는
아냐….

만약 편의점에
안 나타난다고 해도
강다혁과 편돌이는

조만간 반드시
만난다!!

야~
잘돼가냐?

뭐?

강원도
국도를
탔다고?

산은 자주 오시는 편이세요?

네에… 그런데 요새 뜸했더니 조금 힘드네요….

이것은 3시간 전. 산 입구에 도착했을 때 강다혁이 했던 상상이다.

현실의 3시간 후.

성큼

성큼

금세 다시
추월해버리니⋯!

슝

그러네요.

대화는커녕
가까이 있지도
못하겠어⋯!!

그렇다면⋯.

엇.

다끌

휘청

어어~!!

타

악

됐다!!

손잡았다!!

됐다!!

휴…!

태만 씨
없었으면
큰일 날 뻔
했네요!

…다혁 씨.

한국의 산은 암반이 많아서

산에 올 때 등산화가 아닌 일반 운동화를 신으면 접지력이 없어서 위험합니다.

참아야 한다···

결국 3시간 30분 동안 쉬지 않고 완등했다.

생각보다 빨리 왔네요.

그러게요! 꽤 높다더니!

덜 덜

덜덜

목에서 피 맛 나⋯!

여기서 점심을 먹고 내려갈까요?

주섬 주섬

와아- 맛있겠다~

짜 잔

힘들여서 입맛이 하나도 없어⋯.

큰일이다…
얘기하자고
불렀으니
뭐라도 말을
해야 할 텐데…

펄럭

펄럭.

입 열면
한숨 소리만
나올 것 같아서

말을 못 하겠어….

표정은
선글라스에
가려져서
보이지도 않고…

펄럭

다혁 씨….
미안합니다….

하지만…
이렇게 계속 갈팡질팡하며
지낼 수는 없습니다.

빨리 마음을 정리하는 게
각자에게 맞는 길이에요….

그나저나….

아까부터
쥐새끼 하나가
따라오는데….

바스락

발걸음이 길에
익숙지 않아
보이는 걸 봐서
마을 주민은 아니고.

사부작

등산객이라기에는
너무 조심스럽게
따라오고 있어.

다혁 씨를
따라온 건가?

사생팬 스토커?
파파라치?

마음 같아서는
당장 찾아내고 싶지만
갑작스레 자리를
비울 수는 없으니···

살살
내려
갈까요?

예.

다혁 씨와
헤어지고 난 후
행동해야겠군.

휘청

휘청

태만 씨가···
무슨 생각을
하고 있는지
알 수가 없어.

분명히 나한테
넘어온 분위기였다고

첫날부터!!

그럴 리는 없지만…
혹시 내가 실수라도 했나?

…그걸 알기 위해서라도
우선 눈을 마주쳐야 해!

성큼

휙

하아
하

….

참아야 해…
조금만 더 참으면

터벅

터벅

강다혁도 나랑
엮이고 싶지 않겠지….

주태만…

뭐가 문제인데?

성
큼

강다혁!!

금도끼 은도끼

초판 1쇄 인쇄 2024년 3월 18일
초판 1쇄 발행 2024년 4월 5일

그림 에레세모
펴낸이 정은선

책임편집 이은지
표지 디자인 SONBOM DESIGN
본문 디자인 (주)디자인프린웍스

펴낸곳 (주)오렌지디
출판등록 제2020-000013호
주소 서울시 서초구 서초중앙로2길 35 돈일빌딩 4층 401호
전화 02-6196-0380 **팩스** 02-6499-0323

ISBN 979-11-7095-209-1 07810
       979-11-7095-208-4 07810 (SET)

ⓒ 에세레모, 2024

* 잘못 만들어진 책은 서점에서 바꿔드립니다.
* 이 책의 전부 또는 일부 내용을 재사용하려면 사전에 저작권자와
(주)오렌지디의 동의를 받아야 합니다.

www.oranged.co.kr